à John [Lennon] De[goon]

Une belle lecture

et des Pauses

en agréable

compagnie !

de ta plus vieille,
Francine .

Son idole !

Pauses

Francine Ouellet

Pauses

Éditeurs:

LES ÉDITIONS JCL INC.
930, Jacques-Cartier Est
Local D-314
CHICOUTIMI, (Qc) Can.
G7H 2B1
Tél.: (418) 545-5820

Page couverture,
 illustrations
intérieures:

Danielle Renaud
Saint-Augustin

Maquette de la
page couverture:

Lyne Fortin

Distributeur
officiel:

QUÉBEC LIVRES
4435, boul. des Grandes Prairies
MONTRÉAL, (Qc) Can.   H1R 3N4
Tél.: 1-800-361-3946

Conception
graphique:

Alexandre Larouche

Tous droits
réservés:

© Les Éditions JCL Inc.
Ottawa, 1986

Dépôts légaux:

4e trimestre 1986
Bibliothèque nationale du Québec
Bibliothèque nationale du Canada

ISBN:

2-920176-36-6

À Serge, Maurice
et Biche

AVANT-PROPOS

Ce manuscrit m'est arrivé un jour ordinaire, nuageux par surcroît, de décembre 1984. Il portait la signature d'une certaine Francoise Tremblay de Chicoutimi. Cela constituait pour elle *un ensemble de ses meilleurs textes rédigés au fil des vingt dernières années.* Elle avait eu subitement le goût de les sortir de ses tiroirs et de les exposer à la critique d'un éditeur.

En mars 1985, je lui écrivis *que je trouvais son rythme intéressant, qu'elle faisait preuve de beaucoup d'intelligence et d'imagination et que son texte me semblait fort accessible.* J'ai même poussé l'audace à lui écrire qu'il y *avait beaucoup de vie dans ses phrases et même une sensualité très à propos et très fine.*

Je la fis donc venir à mon bureau après lui avoir parlé au téléphone.

Surprise! À l'heure fixée, c'est Francine Ouellet qui arrive chez moi... Voilà que Francoise devenait Francine et que Ouellet se substituait à Tremblay. Voilà aussi comment naissent certaines auteures.

Lisez Francine jusqu'au bout, elle vous surprendra, vous fera rire et réfléchir et surtout vous charmera, à sa façon!

L'éditeur

TABLE DES MATIÈRES

À VENDRE

La maison est abandonnée. Cela m'a fait un choc.
Les fenêtres éventrées, les portes barricadées. La
maison est vide.

Gustave et Germaine y habitaient, il n'y a pas si
longtemps. C'était en d'autres temps, alors que
Gustave était encore vivant.

Ils vivaient seuls. Les enfants, tous grands, mariés,
étaient partis ailleurs, faire leur propre vie, à leur tour.
Gustave et Germaine, à soixante-dix ans, s'aimaient
encore tendrement.

Oh! ils avaient bien sûr, comme tant d'autres, vécu la
Crise, la guerre et les misères de ces époques. Ils
avaient eu leur lot de malheurs. Mais, ils étaient
pourtant très heureux, nostalgiques de leurs jeunesses
passées.

Gustave, le regard toujours égrillard, contemplait
Germaine, en train de toucher l'orgue. Elle était plus
belle que jamais devant ses feuillets de musique. Et il
se berçait, en songeant à cette minute qu'il aurait
voulu savourer éternellement. Puis, son coeur cessa
de battre et il sombra dans un profond sommeil.

Germaine est allée vivre ailleurs. Elle est peut-être
morte elle aussi. Et aujourd'hui, j'ai vu la maison, vide.
La pancarte À VENDRE, est cachée par les
broussailles qui ont envahi la pelouse, qui faisait
tellement l'orgueuil de Gustave. Gustave et
Germaine, mes voisins.

Il n'y a plus personne dans cette maison de gens,
jadis heureux. C'est devenu comme un corps sans
âme, une mémoire dont les souvenirs se sont
effacés à jamais.

FATIGUE, LASSITUDE

Fatigue
Lassitude
Torpeur envahissante,
bienfaisante
Paralysie momentanée,
sourde,
muette,
aveugle,
coupée du reste,
de tout.

Pourtant,
porte ouverte
sur l'Incontrôlable,
l'Inconscient
l'Inavouable...
Merveilleux sommeil de la nuit...

DE CORPS ET D'ESPRIT

Corps,
tu te fatiques
trop vite!

Moi,
je suis encore
en forme!
J'aurais le goût
d'agir, de lire
et de rire!

Mais,
comme je t'habite,
comme tu me déplaces
et tu me transportes,
je vais te suivre,
dans ton lit
et te laisser
te donner
un grand coup
de matelas,
dans le dos...

Un jour...
j'aurai bien raison de toi...

Le Corps meurt
tandis que moi,
locataire temporaire,
je ne suis que de passage!

Paupières,
lourdes de sommeil
écrans de mes rêves...
quel film
est à l'affiche
pour cette nuit?

LA RUPTURE

Il était temps que ça cesse. Denise n'en pouvait plus. Cela durait depuis plus de huit mois. Le moment de rompre était bel et bien arrivé.

Ce soir elle lui dirait. Elle trouverait tous les mots. Elle y pensait déjà depuis si longtemps. Mariés tous les deux, Georges lui était subitement tombé dans les bras. Un soir qu'ils avaient travaillé ensemble, plus tard qu'à l'habitude, il lui avait dit franchement et sans détour qu'il la désirait, qu'il avait le goût d'elle.

Avant de travailler ensemble sur ce projet de la compagnie, ils s'étaient déjà aperçus dans l'ascenseur. Ils ne travaillaient pas au même étage. Lui au bureau du Président, elle aux ventes. Elle ne le trouvait quand même pas désagréable. Il lui était sympathique avec son air bon enfant. Elle avait 35 ans, lui 44.

Mais, la tension était devenue insupportable: les remords, la crainte d'être découverte la hantait sans cesse. Tous les soirs, elle contemplait son mari. Elle l'aimait encore et n'arrivait plus à comprendre pourquoi elle avait cédé à Georges. Elle se dégoûtait, se haïssait. Il était cinq heures passées et Georges n'était toujours pas en vue. Assise devant une tasse de café presque froid, Denise avait peur de la réaction de Georges. Il était jaloux et possessif.

—Bonjour chérie! Tu m'excuses, j'ai dû m'asseoir avec le président, pour discuter de certains projets et il ne semblait plus vouloir me laisser partir. Enfin, me voilà! Est-ce que je te commande quelque chose?

— Non. Je te remercie. Je n'ai pas faim et je n'ai pas beaucoup de temps à te consacrer ce soir. Ni demain. Ni jamais. Ses mains tremblaient et elle n'avait plus de souffle. Mais en même temps elle se sentait soulagée de tout lui avoir dit cela. Georges la regardait, silencieux.

Quel mélodrame! Quel vilain mélodrame! En y repensant, Denise ne trouvait que cela à dire. La soirée s'était ensuite écoulée rapidement. Georges l'avait regardée avec ses grands yeux de chien triste et avait menacé de la tuer. Il ne voulait pas la perdre, sans elle rien n'avait plus de sens. Elle s'était levée et l'avait laissé là, tout seul dans le restaurant.

C'était il y a cinq mois. Elle n'avait plus revu Georges. Elle avait demandé à être mutée dans un autre service, ailleurs. Elle se sentait mieux. Vraiment mieux. Tellement mieux qu'elle songeait à en parler à son mari.

C'est à tout cela qu'elle pensait ce jour-là. Elle était venue dîner dans un petit restaurant, pas très loin du bureau de Jean-Paul. Son mari avait un dîner d'affaires et elle était seule. Elle feuilletait le journal en attendant sa commande. Elle ne les vit pas tout de suite... Mais au fond du restaurant, Jean-Paul tenait la main d'une belle jeune fille rousse et tous les deux avaient l'air parfaitement à l'aise.

Sans dire un mot, Denise se leva, sortit du restaurant. Il ne l'avait pas vue, elle en était sûre. Rendue au bureau, elle éclata d'un grand rire nerveux, puis, les larmes aux yeux, téléphona à son avocat.

POISON

J'ai encore de toi

en moi

Tu t'écoules

lentement

et peu à peu

je sens le vide

reprendre

sa place

J'ai encore de toi

mais

fort heureusement

pour bien peu

de temps

encore...

19

IMPRESSION

Je t'ai vu ce matin.
Tu m'as à peine parlé
tes yeux m'ont regardé
étrangement,
chargés de reproches
ou de mélancolie,
je ne saurais dire.

Je t'ai vu ce matin
passer rapidement devant moi,
sans sourire,
ton visage, comme du marbre...

Je t'ai vu ce matin
prendre la fuite...

UN BEAU PORTRAIT

Ce fut bref,
Ce fut court,
et sans tache

Nous nous sommes quittés
Sans trop briser de
vaisselle
et, devant
ton indifférence
ma détermination
n'a fait que s'accroître

Il ne reste
que nous deux
Qu'un beau portrait...

FUMÉE

Une
ou
Deux
ou
Trois
gorgées de bière
et, avec, au travers,
quelques bouffées de cigarettes...

Une
ou
Deux
ou Trois bières
et, avec, au travers,
plusieurs cigarettes
qu'on fume
jusqu'au filtre
qu'on jette ensuite
dans le cendrier
déjà tout rempli de mégots
de tant d'autres cigarettes,
de tant d'autres rêves
envolés en fumée
réduits en cendres.

Ce qu'on ne ferait pas
pour oublier!

GRAFFITIS

Non, je ne te déteste pas.
Pas encore.
Il s'en faut de peu
pourtant.
Menteur.
Hypocrite.

Non, je ne te déteste pas.
Pas encore.
Car je t'ai aimé.
Menteur.
Hypocrite.

Non, je ne te déteste pas.
Pas encore.
Mais je me déteste
de t'avoir cru.
Menteur!
Hypocrite!

Non, je ne te déteste pas.
Pas encore.
Mais je t'en veux
de m'avoir tant convaincu
de ton amour.
MENTEUR!
HYPOCRITE!

Non, je ne te déteste pas.
Pas encore!
Mais je ne t'aime plus!
SALE MENTEUR!
SALE HYPOCRITE!

LE PREMIER BAISER

Ils sortaient ensemble depuis deux semaines au moins. Ils n'étaient pas tellement beaux.

Lui, il mesurait plus de six pieds. Il avait les cheveux noirs, rendus luisants et graisseux par le ¨Brylcream¨, le teint jaunâtre, des boutons d'acné dans le visage, une grande bouche et des lèvres charnues. Les yeux étaient cachés derrière une paire de lunettes avec monture de corne, plutôt épaisses.

Elle n'en était pas folle à en mourir mais elle était très fière de marcher à côté de lui. Il était si grand! En plus, il était musicien! Il jouait de la guitare avec ses frères et des amis dans un orchestre. Ils pratiquaient tous ensemble régulièrement dans le sous-sol bien insonorisé de l'une des maisons, situation qui leur faisait bien aimer les parents de l'un des musiciens. ILs jouaient les grands succès des ¨Ventures¨ et ils étaient assez bons. Quand ils jouaient pour elle ¨Blue Star¨ cela la faisait chavirer.

Elle, comme je vous l'ai dit plus haut, n'était pas jolie non plus. Pas de boutons dans le visage, des traits banals, une moue régulièrement maussade. Elle portait ses cheveux courts et enviait ouvertement et plus particulièrement les blondes aux cheveux longs, et généralement toutes les autres filles. Comme bien d'autres filles de son âge, elle se trouvait laide. Quand on a quatorze ans, n'est-ce pas un peu normal? Toutes les autres filles sont tellement mieux! Mais, ce qu'elle avait de plus beau, même si elle ne le savait pas, c'était son corps. Elle avait une très belle silhouette, ce qui plaisait énormément à Pierre le premier garçon avec qui elle sortait.

Déjà deux semaines! Il ne l'avait pas encore embrassée. Elle en rêvait! Le soir dans son lit, elle s'imaginait, fermant les yeux et, comme dans les films, elle nageait dans le bonheur.

Ce soir-là, ils étaient sortis seuls. Ils avaient marché bras-dessus bras-dessous, jusqu'au parc. Ils s'étaient assis au pied d'un orme, côte à côte, les yeux perdus dans le vague. Elle ne se souvenait plus de leur conversation. Ils étaient revenus. Pierre était là, dans l'escalier, une marche plus bas, et pour une fois elle était capable de le regarder sans lever la tête. Il s'approcha d'elle et l'embrassa. Elle crut défaillir.

D'abord parce qu'il avait mauvaise haleine ensuite parce que sa langue, qui s'introduisait dans sa bouche, l'empêchait de respirer. En plus, comme sa bouche était plus grande que la sienne, Ninon sentait avec horreur couler la salive tout autour des ses lèvres. Finalement, il cessa de l'embrasser, se retira et la regarda un instant avant de lui dire qu'elle embrassait bien.

Sans savoir comment, elle eut le courage de sourire, lui dit au revoir et à demain. Puis, elle entra dans la maison, ferma la porte derrière elle. Avec sa main, Ninon s'essuya la bouche, puis se précipita dans la salle de bains pour se laver la figure.

Pierre et Ninon cessèrent de se voir définitivement peu de temps après.

DUO

Il t'invite à prendre un verre et toi, tu acceptes.
En silence, il prend ta main.
Docile, tu le laisses faire et tu ajustes ton pas,
au sien.

Toi tu la regardes
Tu trouves qu'elle est belle
Sous sa blouse, tu devines sa poitrine, ses petits seins
fermes et pointus.
Comme tu les aimes.

Une foule de gens bizarres, foule bigarrée, a encore
une fois envahi les bars et les cafés de la rue Saint-
Denis.
Le soir, c'est un tout autre univers.
Etrange faune que ces êtres éthérés, ou amers, ou
désabusés...
Ombres attablées devant un verre rempli d'espoir
ou...
d'oubli.

Tu as trouvé une table de libre, deux chaises.
Un scotch pour toi, un triple sec pour elle.
Tu rigoles un peu mais, tu n'y es pas...
Elle fouille tes yeux, cherche à voir ce qu'il y a
derrière, ce qu'il n'y a pas devant...
Tu t'esquives, détournes le regard.
Tu supportes difficilement l'inquisition et son
silence.
Pénible tout ça.

Un autre scotch, un autre triple sec.
Triple rien.
Il y a de ces soirs, décidément...

Comme c'est frustrant

L'avoir à portée de la main
et devoir se taire

Devoir faire son devoir...

AIR DE TERRE

Depuis un bon moment, ils avaient cessé de parler. Ils étaient tous deux plongés dans leurs pensées. Ils avaient fait leur travail.

— Je crois que nous pouvons repartir, dit Anthée.

— Oui. Mais laisse-moi encore regarder, répondit Orphée.

Orphée songeait à la Terre. La planète se préparait à devenir un champ de bataille. Les États les plus puissants, dressés les uns contre les autres, s'apprêtaient à se lancer leurs bombes. Ils avaient le doigt sur la gachette.

Les ordinateurs étaient prêts à faire la guerre. Depuis de longs mois, les techniciens avaient programmé attaques, contre-attaques. Chaque missile avait sa cible: une ville, un village, une usine, un aéroport. Vraiment tout semblait au point. En place. Prêt à fonctionner. La grande bombe attendait dans l'ombre, son entrée en scène.

Manifestations, défilés. Les pacifistes, un peu partout dans le monde s'agitaient. Des gouvernements, apparemment favorables au désarmement, fourbissaient leurs armes, remplissaient leurs arsenaux, à l'insu de la population.

Cet automne-là, c'est à tout cela que pensait Marie Tremblay en remuant la terre des ses plates-bandes. Elle avait peur de la guerre, de la menace nucléaire. Il n'y aurait plus de fleurs. Elle mourrait et tous les siens aussi, les voisins.

— Tiens, une nouvelle plante! Marie n'en avait jamais vue de pareille. C'était tout petit: une sorte de champignon bleu au coeur d'une corolle et plein de toutes petites feuilles dentelées tout autour. Saisie d'une soudaine impulsion, elle retira la plante du sol. Elle regarderait cette plante de plus près, la transplanterait avec les bégonias et ses autres fleurs qu'elle soignait tout l'hiver. Cela mettrait une belle tache de couleur dans le solarium. Vraiment, c'était une fleur des plus étranges...

— Bon, Orphée! Il faut partir!

—Oui, Anthée. Crois-tu qu'ils trouveront la bulle?

—Ne t'inquiète pas. Le Grand Maître a tout prévu...

Puis, jetant un dernier regard sur la planète bleue, Orphée remit le vaisseau en marche. Dans l'obscurité de l'espace, un point lumineux, telle une étoile filante, disparut dans le plus grand silence.

À GHISLAIN...

Je sens que,
peu à peu,
de son propre gré,
je sens
qu'il sort de sa coquille.

Je sens qu'il a peur.

Mais le mollusque
sait bien
qu'il en a besoin
pour vivre...

L'AVENIR

Je
ne
sais
pas
ce
que
l'avenir
me
réserve.
Mais
je
ne
me
pose
pas
de
questions.
Il
me
le
dira
bien
tôt
ou
tard!

SALOPERIE

Je salis
Tu salis
Il salit
Nous salissons
Vous salissez
Ils salissent...

Lorsque le verbe est
conjugué
à tous les autres modes
et à tous les autres temps,
on n'en finit plus de salir!

Mais, point n'est besoin
d'utiliser un autre temps
que celui du présent
au mode indicatif...
C'est à ce moment-là
que tout commence...

Il ne faut pas plus d'une minute
du présent
pour polluer notre passé
et notre avenir...

Que je salisse
Qu tu salisses
Qu'il salisse...
Bande de salauds!

RUE SAINTE-CATHERINE

Les couleurs,
les bruits
les images
les personnages
du centre-ville

Un très vieil homme,
assis, en train de jouer
de l'accordéon,
en attendant la mort
la peau cadavérique...

La putain,
jeune noire
qui s'appuie le long
d'un mur d'un magasin
pour appâter les deux hommes
qui regardent
la vitrine sale...
Sous ses pieds,
le trottoir,
sale, sali,
répugnant
pollué
et le bruit...

Sirènes d'ambulances,
ou de voitures de polices,
bruits des camions
qui digèrent des tonnes
de vidanges...
bruits des livreurs
de bière,
des bouteilles et
des caisses qui s'entrechoquent

Et la poussière,

le soleil du matin qui
se fraie un passage
les feux rouges ou verts,
les mains électriques oranges
qui font signe d'arrêter...
La silhouette blanche
du piéton programmé
pour faire avancer
cette marée humaine
sans cesse en mouvement
et hyperchangeante
qui s'agglutine
sur le coin des rues...

Ici et là,
des pigeons,
seuls vestiges
d'une nature
jadis omniprésente...

Des pigeons
des mutants,
qui envahissent
corniches, trottoirs
toits d'immeubles,
qui s'habituent
à tout ce béton
et ce ciment...

Étranges sentinelles
qui semblent
attendre
leur heure,
un moment propice...
Je vous ai vu
sur la rue Sainte-Catherine...

RENCONTRE

Dans le hall de l'hôtel, c'est un va-et-vient continuel.
À cette heure, comme à d'autres, des arrivants, des
partants. Des chasseurs qui font la navette avec les
chariots à bagages. Les valises qu'on charge,
qu'on décharge.

Du bar, on voit bien tout ce qui se passe.
Dépendant de l'endroit où l'on est assis, on a des
perspectives différentes du paysage sans cesse
changeant du hall de l'hôtel, de la réception.

Assise sur un divan elle lit un magazine. Sirote un
apéro. C'est bientôt l'heure de dîner. Elle n'est pas la
seule dans le bar. A cette heure, il y en a beaucoup
qui prennent l'apéritif. Depuis quelques minutes, il
l'observe. C'est une belle femme. Les vêtements
sont élégants. D'un chic indéniable. Résultat
probablement de la couleur discrète et classique
du tissu. Beige. Rien ne cloche dans la tenue.
Chaussures de cuir et sac assortis. Blouse à col
montant. En soie certainement. Les cheveux sont
blonds, ramassés en chignon. Le visage dégagé.
Maquillage discret. Bref tout un ensemble de détails
qui font d'elle une beauté parfaite. Attirant. Et elle lit
toujours son magazine, sans s'occuper des autres.
Sans daigner lui accorder un regard.

Il est pourtant bien de sa personne. Pas déplaisant
du tout. Il n'a pas encore quarante ans. D'ailleurs on
lui en donne beaucoup moins. Sportif, il se surveille,
fait attention aux débordements alimentaires qui sont
généralement le lot de ceux qui ont de nombreux
dîners d'affaires. Elle lui plaît. Il part demain. Pourquoi
ne tenterait-il pas sa chance? Le voyage pourrait se
terminer sur une note agréable. Un souper en sa
compagnie et après... qui sait?

Voilà donc qu'il s'approche. S'assied dans le fauteuil tout près d'elle. La salue. Se présente. Entame la conversation. Elle est un peu pressée. Malheureusement, elle ne pourra pas étirer davantage la discussion. Des obligations l'en empêchent. Elle aussi est de passage. Par affaires. Comme lui. Si jamais aucun imprévu ne s'ajoute à son programme de l'après-midi, il se pourrait qu'elle soit là, pour souper. S'il soupe vers 20 heures. Enfin, il verrait bien.

Elle est arrivée avec un peu de retard. Même costume mais autre coiffure. Aussi belle. Plus captivante. Apéritifs, entrées, boeuf Wellington, dessert, digestif, sans compter le vin de grand cru, choisi exprès, pour accompagner ce repas en tête-à-tête. Tous deux légèrement grisés, se lèvent de table. Prennent l'ascenseur. Direction: sa chambre pour la nuit. Une nuit où l'on mettra du temps à dormir trop occupés qu'ils seront aux jeux de l'amour.

Elle s'est réveillée vers 10 heures 30. Le grand lit vide. Elle n'est pas surprise. Il devait partir tôt ce matin, pour prendre son avion. Elle se frotte les yeux, s'étire. Jette un coup d'oeil sur la table de nuit. Oui, l'enveloppe est bien là. Pleine de billets verts. Comme convenu.

MES BEAUX HOMMES

Subitement..
j'entends des voix
je revois des visages
de ces beaux hommes
de mon temps de jadis

Et je découvre
que je ne sais plus
rien d'eux
ou si peu

Que sont-ils devenus?
Jean, Guy, Denis
et tous les autres
qui portent le nom
de mes plus beaux souvenirs?

UNE VIE

Il était fatigué. Épuisé. Aujourd'hui, plus que d'habitude, ses rhumatismes le faisaient atrocement souffrir. Il n'avait pas été capable de se lever tellement la douleur était intenable. Il n'avait pas voulu manger. La nourriture ne l'intéressait plus.

Finalement, la fatigue aidant, il s'était endormi et rêvait. Qu'il n'était pas loin le temps où, encore, il s'amusait l'été dans les champs à courir avec Madeleine. Madeleine qu'il avait vu grandir. Partir pour l'école avec les petites voisines. Cartables et cordes à danser à la main l'automne. Tuques et mitaines rouges, bleues, vertes et manteaux assortis en hiver. Ah! L'hiver! On se roulait dans la neige folle! Et on s'amusait en lui lançant des boules de neige qu'il réussissait, pas toujours, à éviter. Puis les printemps revenaient et les mares d'eau le long des trottoirs où il faisait bon marcher, sans détour. Les belles flaques d'eau tentantes qui, malgré tous les interdits, ne demandaient qu'à être traversées, défiées. On rentrait sales à la maison, et malgré les remontrances, heureux et comblés. C'était le bon temps!

Madeleine avait vieilli. Lui aussi. C'est normal. Qu'on le veuille ou non, le temps nous fait de l'effet, qui que nous soyons. C'est la vie. Madeleine, jeune fille aux études, commençait à regarder les garçons. À sortir un peu. De plus en plus souvent sans lui. Il en avait pris son parti. De toute façon, elle revenait toujours et lui montrait qu'elle ne l'oubliait pas. De son côté, il avait eu lui aussi ses sorties. Des soirs, parfois des nuits entières d'errance, à l'affût d'une rencontre agréable. Ce qui ne manquait pas de lui arriver. Des moments d'extase dont il se souvient quelquefois, sans qu'il sache trop pourquoi. Il n'a pas de regret.

40

Et oui, il n'avait jamais manqué de rien. Un toit, de la nourriture à satiété, et Madeleine. Enfin, pas nécessairemetn dans cet ordre mais il avait eu l'essentiel. Ce dont d'autres comme lui ne peuvent pas toujours se vanter d'avoir. À chacun son lot.

Madeleine était inquiète. Depouis un certain temps, elle voyait bien qu'il manquait d'entrain. Elle réalisait, à sa grande tristesse, combien il était devenu vieux. Oui. Vieilli. Cette constatation lui avait donné un choc. Ils avaient tant partagé. Elle voyait bien qu'il avait de la difficulté à marcher, et peut-être que sa vue aussi avait baissée. De cela, elle n'en était pas tout à fait certaine. Pourtant, il était tombé dans l'escalier. À quelques reprises. Ce qui ne lui était jamais arrivé. Il n'avait plus tellement d'appétit non plus. Et elle en avait beaucoup de peine. Parce qu'elle savait que l'inévitable allait se produire. Très bientôt.

Ce qui fut fait. Un bel après-midi, c'est toute l'enfance de Madeleine qui disparut d'un seul coup lorsque l'on emmena le vieux chien Fidèle chez le vétérinaire. Pour une injection.

ILS ME L'ONT TOUS DIT

Ils me l'ont tous dit mais, il ne me
l'ont jamais montré.
J'ai peur encore de me le faire
dire et de découvrir une fois de plus
que ce sont des mensonges.
Que c'est une illusion de plus.

Et je me laisserais dévorer à nouveau,
sans rien dire?
Sans m'objecter?
Je n'en sais trop rien...
Toutes les fois, j'espère
que cela soit vrai et durable...

INSTANTS

Encore sept minutes...
Non! Moins que ça!
Les aiguilles avancent
rapidement,
marquant inexorablement
la marche irréversible
du temps...

Encore six minutes...
Dieu que ça va vite!
Je vais manquer de souffle
et je ne peux pas m'arrêter
tout de suite!

Encore cinq minutes...
Courir, courir,
toujours courir,
se presser, se dépêcher.

Plus que quatre minutes!
Il faudrait bien
que j'aille aiguiser
mon crayon
mais je n'en ai pas le temps.

Trois minutes!
Une bouffée de cigarette,
des moments d'hésitation,
des instants précieux
qui s'enfuient...

Plus que deux minutes!
Et je ne peux plus rien y faire...
L'heure avance,
l'avant-midi s'achève...

Une minute!
Plus que quelques secondes...
Et voilà!
Je peux enfin
reprendre mon souffle!

MNÉMOGITE

Ballottée par le temps
Bousculée par des souvenirs,
qui s'installent
confortablement
dans mon présent,

je me demande
qui du printemps,
ou de l'âge,
dois-je accuser
de cette crise
de mémoire...

BOIRE

J'ai soif
J'ai de la rage
Une sorte de crainte
de manquer
quelque chose
me pousse
à boire ainsi
chaque minute
de ma vie

L'ÉTABLI

Depuis le temps qu'il y pensait! Il l'avait enfin construit! Pareil à celui que son père avait jadis scié, cloué, assemblé, dans la remise qui lui servait d'atelier. Un bel établi de 12 pieds de long, qu'il ne cessait pas de contempler. Avec satisfaction. Celle d'avoir accompli quelque chose de concret, d'utile.

O sensation grisante que celle d'avoir réalisé un rêve! Depuis qu'il avait acheté la maison, il n'avait pas cessé d'y penser. Il manquait quelque chose à ce sous-sol vide. Il y a trois semaines, il avait acheté le bois. Sorti les outils entreposés depuis trop longtemps dans les boîtes. À la sueur de son front, il avait bien mis deux bonnes journées à bâtir l'établi, les tablettes, à fixer les supports à outils.
S'il le voyait, son père serait fier de lui. Fier et heureux du soin qu'il prend des outils. Qu'il frotte, qu'il essuie, qu'il accroche sur le mur où l'établi est adossé. Oui, une place pour chaque chose: tournevis, vilebrequins, rabots, scies, limes. Pots de vis et de clous. Toutes dimensions. Comme le faisait jadis le père.

Le père. C'était plus qu'un simple menuisier, qu'un ébéniste. C'était un artiste. Une pièce de bois banale, ordinaire, devenait, dans ses mains, transformée en un univers de petits voiliers, de flûtes à bec, des statuettes de toutes sortes. Ou encore, une ferme, avec plein d'animaux: cochons, vaches, chiens, moutons, lapins, chevaux. Il se souvenait encore de ce samedi d'été où la ferme avait été terminée. Les couleurs des bâtiments, fraîchement peints, qui brillaient sous le soleil que la véranda n'arrivait pas à cacher complètement. Il avait dix ans. À douze, son père lui avait fait une carosserie toute neuve pour sa vieille boîte à savon qui, munie d'un petit moteur avait changé son statut en celui

45

plus ronflant de voiture.

Puis, les jouets étaient disparus. La maison aussi.
Dans l'incendie. C'était arrivé en hiver. Un cas
classique. Poêle surchauffé. En pleine nuit. La
famille endormie aurait pu y passer au complet sans
les hurlements du chien qui avait ainsi donné l'alerte.
Le père, ayant fait sortir tous les siens, voit qu'il en
manque un. Il retourne dans la maison en flammes
dont il ne ressortira jamais. C'était lui qu'il était venu
chercher. Le père avait oublié la petite échelle qu'il
avait bâtie, le long du mur extérieur, sous la fenêtre
de sa chambre. C'est par là qu'il s'était enfui.

La remise épargnée par le feu, fut vidée de son
contenu. Tout ce qui reste de toute la vie d'un
homme: des outils abandonnés sur l'établi et que
l'on serre dans des boîtes.

Depuis tout ce temps, la famille s'est dispersée.
Chacun fait son chemin et il faut dire que les routes
ne se croisent pas souvent. Pour toutes sortes de
raisons qui s'expliquent par les contraintes normales
de la vie courante. On se voit à Noël. Au Nouvel An.
À la Fête des Mères. Et aussi, le 20 janvier. Une date
qui ne s'oublie pas. Celle de la mort du père.

Mais aujourd'hui, celui qui a hérité des outils ne sera
pas de la réunion habituelle. Dans son sous-sol, il
contemple son établi tout neuf. Les larmes aux yeux,
le seul fils de la famille, pleure enfin son père.

JAZZ

Contrebasses
et saxophones..

Déjà de quoi faire un
JAZZ!

Le piano s'amène
et d'un octave
à l'autre
sur les noires
ou sur les
blanches
la musique se déhanche

Les percussions
sont de bon ton
pour le rythme
voyons...

Et tous ces instruments
pris d'une soudaine
folie
suivent la trompette
qui les mène à la baguette
d'un dieu de la musique
qui a pour nom
Louis Armstrong

L'HOMME-ROI

Pour Albini Plourdes

J'ai vu un homme
entrer dans la maison, la sienne.

Il s'est arrêté,
quelques instants,
sur le pas de la porte,
comme pour s'emplir les yeux
de visages, de sourires,
comme pour écouter
les bruits des conversations
et le babillage des enfants.

Il s'est arrêté,
quelques instants,
le regard un peu pétillant
le temps de prendre
quelques bouffées de cigare,
tout en nous considérant
d'un air majestueux.

Puis, il a parlé un peu,
en souriant,
tout en se dirigeant
vers sa chaise berçante.

Une fois assis,
j'ai vu un homme,
un homme-roi.

MÉMOIRES D'OUTRE-FRANCE

Dans le grand silence
de toutes ces absences
je sens la présence
de ces fantômes: parents, aïeuls, aventuriers de
France
aux noms dont on a toujours souvenance...

Jadis, ils avaient espérance
pour eux, la Nouvelle-France
n'était point le beau pays de France
Mais, pour cette descendance
dont on a forcé la coïncidence
il n'est plus question de partance
mais uniquement de confiance
envers cette terre conquise avec patience
pour que surgisse enfin un pays d'outre-France...
Serons-nous les artisans de cette naissance?...

Mars 1980

ISADORA

Souvent, dans ma tête,
je la vois,
toute vêtue de blanc.

Elle s'élance,
virevolte..
Ses voiles l'enveloppent,
flottent dans les airs
Merveilleux papillon!
Plus rien pour elle
n'existe... que la Danse...

Je suis la Seule, l'Unique. C'est ainsi qu'on me
présente. Et me voilà, sur le plancher de bois de la
scène, déshabillée par les projecteurs. Et c'est ainsi
que, presque nue, je m'élance. Il n'y a plus
personne. Je suis là, Seule, Unique!

Je n'entends que la musique. Elle me transporte
ailleurs, dans un monde que vous ne pouvez voir et,
entre ses mains, je deviens une marionnette. La
Musique me possède, m'habite, coule dans mes
veines. Docile, mon corps entier est à sa merci!
Merveilleux orgasme!

Mon coeur palpite, mon corps frissonne. Je me sens
soulevée par le rythme, enivrée, droguée,
envoûtée. Je tourne, une arabesque. Je tourne
encore sur moi-même et puis, faute d'espace, mes
mouvements se meurent..

Brusquement, tout s'arrête. L'obscurité s'est abattue
sur moi. Je suis clouée au sol. Le silence écrasant est
déchiré par le tonnerre qui vient de la salle.

Comme une automate, je me relève. Je salue. On
me jette des fleurs! Je suis là, Seule! L'Unique! Je suis
la grande Isadora!

LE CANDIDAT

Eh! bien, mesdames et messieurs, la ville a maintenant un nouveau maire en la personne de Jean-
Marc Durivage. Celui-ci l'a emporté avec une
confortable majorité sur son plus proche adversaire,
Antoine Lemay. Rappelons que les deux hommes
se sont fait une chaude lutte tout au long de la campagne, marquée de gaffes inexplicables de la part
du candidat Lemay qui ont permis à Jean-Marc
Durivage de prendre une avance quasi insurmonta-
ble. Avance signalée à deux reprises lors de sonda-
ges réalisés durant la campagne. Élu ce soir, Jean-
Marc Durivage est maintenant, avec ses 36 ans, le
plus jeune maire de l'histoire de la ville.

Heureux de sa victoire, il l'est. Durivage a gagné. Il
est content. La population a compris son message.
Ses partisans, ses proches collaborateurs, amis,
organisateurs, sa famille, sont tous autour de lui. Dans
la salle on célèbre la victoire, à coups de champa-
gne, de bière, de musique. C'est l'euphorie. Totale?
Presque, pense le candidat élu.

Jean-Marc Durivage avait longuement songé à
cette éventualité de devenir le futur maire. Il avait
hésité, seulement à cause de Marie. Sa femme.
Celle-ci ne voyait pas d'un bon oeil ses ambitions
politiques qui, advenant qu'elles se concrétisent,
l'éloigneraient encore davantage. N'avait-il pas
suffisamment à faire avec son entreprise? Avec sa
famille? Déjà qu'il passait trop souvent de temps en
réunions de toutes sortes, pour son travail, et bien
d'autres affaires. Depuis quelques années déjà, il le
voyait bien, Marie ne le comprenait plus. Elle avait
sa profession et ses obligations. Deux fils. Deux
adolescents maintenant. Presque des hommes qui,
dans quelques années, partiraient faire leur vie à
eux. Oui, ils s'étaient perdus de vue, lui et Marie.
Quand au juste? Il n'aurait pas su le préciser. Peut-

être ce jour, il y a 3 ans, au retour d'un voyage d'affaires. Un retour qu'il appréhendait, Marie et lui s'étant violemment querellés la veille de son départ. Peur qu'elle ne soit pas là au retour. Que la maison soit vide. Que Marie soit partie, avec les enfants.

Mais, elle était restée. Petit à petit, la distance est devenue entre eux plus grande. Ils faisaient l'amour encore, par distraction, par habitude. Il ne lui posait plus de questions. Puis, il y a 3 mois, juste avant de se lancer dans la campagne elle l'avait averti qu'elle partirait. Qu'elle en avait assez de vivre avec lui. Il ne l'avait pas crue. Pas cru capable de le faire. Pas ce soir. Au moment où il fête sa victoire.

En effet, Marie, pour la forme, est allée célébrer avec les autres, la victoire. D'ailleurs n'a-t-elle pas poussé le bon goût jusqu'à être aux côtés du futur maire aussi souvent que possible au cours de la campagne? Mais, maintenant qu'il est minuit passé, Marie fait un petit signe discret de la main, au nouveau maire. Elle lui tire sa révérence. Elle s'en va à une autre fête. Celle de sa liberté. Elle l'a bien méritée. Avec son amant, depuis 3 ans.

Et pendant que le nouveau maire se mettra au lit avec sa victoire, Marie, et le candidat défait, passeront la nuit ensemble.

LE PREMIER COMMANDEMENT

Elle: — Mon ami, je vous adore...
Le saviez-vous?

Lui: — "Un seul Dieu tu adoreras..."

Elle: — Alors, vous êtes mon dieu...

QUATUOR

Il l'aime beaucoup.
Elle le sait.
Bien des indices l'en assurent.
Elle l'aime aussi. Enormément.

Ils ne se sentent pas coupables.
Amant et maîtresse, ils s'aiment
et ils les aiment...

53

LE LIVRE

Tu es un livre
que je découvre
page par page
phrase par phrase

Tu me dis des mots
qui me donnent le frisson dans le dos
Tu me parles de ce chapitre
dont l'amour est le titre,
de tous ces moments
passés entre la maîtresse
et l'amant
et qui ont pour nom tendresse

Et je lis ce livre
Je t'apprends
et, mon cher amant
inexorablement
à toi, je me livre...

♡ LES AMANTS ♡

Du vague à l'âme
Aucun remords
La conscience
d'aimer deux êtres
à la fois
semblables
et différents

Pourtant
une seule
certitude
l'amour des deux,
de leurs yeux,
leurs beaux yeux
bien-aimés

Assise dans le salon,
elle ne se lassait
pas de les regarder
tous les deux,
ses amours,
ses hommes.

MAGIE NOIRE?

Il était une fois... Non, je devrais plutôt dire, il fut un jour, puis deux, trois, quatre, cinq, six et sept, bref, toute une semaine après qu'Il eut décidé que c'en était assez. Durant tout ce temps, moins un jour de repos, Il n'avait pas chômé. Baillant d'ennui, dans ce vaste néant, Il avait décidé de créer.

Pourquoi pas? À ne rien faire, à être à la fois partout et nulle part, on en vient à se morfondre, à se demander ce que l'on fait dans la vie, à part cela. L'idée lui en était venue brusquement et, saisi d'une impulsion incontrôlable, Il avait décidé de laisser aller son imagination.

J'énumère ici, de façon arbitraire, ce qu'Il fit, et dont nous avons encore des preuves tangibles, qui nous sont parvenues jusqu'à nos jours. Il fit le soleil, la lune, les étoiles, tout ça pour décorer le ciel, qui n'avait pas encore de terre. Mais, qu'à cela ne tienne, la terre fut, comme l'eau, les arbres, les plantes, les animaux, dont certains vestiges gigantesques ont été retrouvés par nos savants. Il fit aussi travailler ses mains. Ses mains? Enfin, Il modela un homme, une femme. Deux autres êtres qui ne seraient pas tout à fait comme LUI, malgré une vague ressemblance, il faut le préciser.

À trois, dans l'univers, la vie avait maintenant un nouveau sens. Ce septième jour, c'est à cela qu'Il songeait, en savourant un repos bien mérité, en baillant de fatigue cette fois. Enfin, la vie était belle et le temps s'écoulait doucement. Il allait souvent parler avec l'homme et la femme, leur faisait découvrir les merveilles qu'Il avait créées pour LUI et pour eux.

Puis, il fut un autre jour. Dans ce Jardin qu'Il avait créé

56

parfait, Il avait tout de même laissé passer, délibérément, une fausse note. La tentation. Une pomme par jour, comme on dit aujourd'hui, nous permet de tenir le docteur éloigné. Il s'agit bien sûr de la traduction d'un fameux dicton anglais, proverbe qui n'existait pas encore à l'époque du Jardin en question.

Au contraire, Il avait interdit la consommation des pommes. Je me demande bien pourquoi un tel boycottage après avoir, de plein gré, lui-même décidé de les créer? Faut-il y voir malice de sa part? Tout est possible, vous savez. Aurait-il été subitement saisi d'inquiétude à la perspective d'avoir à sombrer dans l'habitude? La vie à trois peut aussi être une routine et devenir d'un mortel ennui... Enfin, sachant tout, parce qu'Il sait tout, a-t-il tenté, vainement, de se faire une surprise? Bien des questions qui demeureront toujours sans réponses.

Mais, la pomme est là. La femme, rapporte-t-on, a donné la pomme à l'homme, après avoir mordu à belles dents dans la chair du fruit. Un serpent, paraît-il, aurait utilisé ses charmes pour vanter les mérites, les bienfaits de cette pomme interdite.

La vie alors changea brusquement. Il décida de les chasser du Jardin. Puis, les événements se précipitèrent en une série de faits divers. La femme accoucha, eut deux fils, dont l'un tuera l'autre dans des circonstances qui tiennent toutes du drame passionnel et dont je ne tiens pas ici à donner les détails sordides.

De son côté, Il se retira dans son grand Espace. Enfin, quand on est partout, c'est une chose qui doit quand même prendre un certain temps, j'imagine. Et Il cessa, dit-on, de s'intéresser à toutes ces créatures en se disant qu'elles se détruiraient probablement elles-mêmes un de ces beaux jours.

Ce beau jour, ce jour J, il doit bien le savoir quand il arrivera. Il est vraiment placé, d'où Il est, pour voir ce qui se passe. Il doit bien connaître l'identité de celui ou de celle qui appuiera son doigt sur le bouton. D'ailleurs, il y a tellement de boutons en ce moment, qu'il est fort possible que tout le monde se décide à les presser en même temps. Cela aussi, Il le sait!

Ô Grand Mandrake, quel sale tour nous as-tu joué? Rien dans les mains, rien dans les poches, disais-tu? Cela reste à voir!

LE RÊVE

Il n'y a plus tellement de monde dans ce centre
commercial.
Quelle idée d'avoir tout peint en rouge!
J'ai marché, toute la journée, à la recherche d'une
paire
de souliers transparents.
Il ne me reste plus qu'un magasin à voir, puis, je
rentre
chez moi.

J'ai hâte de m'en aller!
Depuis quelques minutes, je presse le pas.
On me suit.
Je crois que c'est un homme.
Je n'ai pas bien vu son visage.
Il porte un habit brun, fait d'un drôle de tissu.
Ce n'est pas du cuir, on dirait presque de la peau
humaine.

Une forte pression sur mon bras gauche me ramène
à la réalité.
C'est la deuxième fois qu'il essaie de m'attraper.
Je me libère.
Je ne marche plus, je cours.
Dans ma précipitation, je n'ai que le temps
d'apercevoir
les souliers que je veux.
Ils sont là, parmi d'autres, entourés de velours rouge.

Essouflée, je continue quand même à courir.
Il est toujours derrière moi.
Il ne lâche pas.
La sortie est proche.
À gauche, un grand restaurant chinois, avec quatre
immenses
portes d'ébène.
J'entre par la première porte.

Il va me perdre de vue, c'est sûr.
Le temps de reprendre mon souffle, je
m'esquive par la dernière porte.
Il est là!
Il m'attendait!
Il m'agrippe par le bras gauche qu'il me dévore
jusqu'à l'os,
jusqu'au coude!
Le sang coule!
Mon sang coule!
Son visage est maculé de sang.
Il bave!
Il rit!
Je ferme les yeux. Je n'en peux plus. J'ai chaud. Je
suis en nage..

Quel cauchemar! J'ouvre les yeux.
Mon bras est intact.
Aucune trace de sang.
Tout est sombre.
Il n'y a plus rien.
C'est fini...

BORÉALITÉ

Ce ciel d'avril,
encore froid d'hiver,
encore givré,
brille ce soir
d'un étrange éclat..

Un
Serpent
à
trois
têtes
se
promène
dans
le
firmament.

MARS

Mars
mois de la vie...

Le printemps
s'annonce
s'immisce
subrepticement
dans l'air

Les premiers,
nos poumons
sentent
la différence
malgré
une certaine ambivalence

La neige elle-même
qui semble résister
devant l'évidence,
se retire petit à petit
et, sans qu'on en ait
connaissance,
perd du terrain

– Là, c'est bien une des étapes du
printemps!, observe la Science.

Devant toute cette expérience,
l'Ignorance, en silence,
contemple les dernières
magnificences
de l'hiver
qui part en vacances...

PRÉVISIONS DE LA MÉTÉO

Aujourd'hui 20 mai, 1980...

Au sommaire:

On prévoit aujourd'hui
du temps beau et chaud

En fin de journée,
nébulosité croissante
et des risques d'orage
sur tout le territoire

Possibilités de précipitations
pour ce soir 63%

LE GRAND AMOUR

Quand on mesure au moins six pieds, vous savez, ce n'est pas facile de trouver chaussure à son pied. Quand on est une femme. Ils sont toujours plus petits que soi, les gentils, ceux qui sont à son goût. Et cela, elle ne comprend pas pourquoi. Pourquoi les autres hommes, les plus grands sont si... si inaccessibles. Ou encore si peu intéressants. Et ce qui est de surcroît fort désastreux, les plus grands ne sont pas nombreux. Tous ces facteurs mis ensemble limitent énormément le nombre de candidats éligibles. Potentiel.

Elle a décidé de changer de terrain de chasse ce soir. En compagnie d'une amie, elle aussi en quête de l'âme soeur, les deux jeunes femmes sont assises à une table. Dans une boîte à chansons. La grande, elle s'appelle Nicole, se dit qu'en restant assise, il n'y aura pas de problème. Elles sont arrivées suffisamment tôt, avant qu'il y ait trop de monde. La table, à proximité de la salle de bains, pour qu'une fois l'éclairage tamisé, on ne la remarque pas trop, si urgence il y a. La salle s'est remplie peu à peu. Les chaises vides se font de plus en plus rares. Paul et Jean-Louis se cherchent des places. Ah! Au fond! Il y a une table. Tiens, tiens, et deux jolies filles en plus! Sait-on jamais? Les chaises sont libres, ont-elles dit. De mieux en mieux... Elles ont l'air sympathiques. Le spectacle commence. Ah! C'est fantastique comme ambiance! On rit, on se détend. Puis, il faut faire quelque chose après, se dit-on durant l'entracte. Aller souper quelque part. Tous les quatre.

La grande, toujours assise, trouve Jean-Louis agréable. Elle n'a pas eu le temps de voir avec précision s'il est plus grand qu'elle. Il lui semble que oui. Enfin, elle le trouve beau. Peut-être que cette fois-ci...

Puis, c'est le temps de se lever. Le spectacle s'est
terminé avec beaucoup d'applaudissements. Au
rappel, Nicole n'a plus le choix. Risque le tout pour le
tout. Nouvelle déception. Elle le dépasse d'au
moins cinq pouces. Jean-Louis s'est retourné. La
regarde l'air surpris. Et admiratif. Il adore les grandes.
Si seulement elle pouvait s'intéresser à lui. Avoir envie
de sortir avec lui. Il a souvent essayé, sans succès
de fréquenter l'une de ces grandes. C'est un
fantasme. Une maladie cette envie des grandes
femmes. Mais elles n'aiment pas les plus petits
qu'elles. Règle générale. Elle est peut-être
différente.

Après le restaurant, les conversations passionnantes,
les rires fous, Jean-Louis veut la reconduire. Nicole dit
oui. Pourquoi pas? Il est si gentil. Il lui prend la main
et ne semble pas embarrassé par les regards des
autres qui circulent, comme eux, sur le trottoir. Au
contraire. Jean-Louis est fier. Très fier même. Il se
sent quelqu'un. Elle, gênée au début d'être la cible
de tant d'yeux, oublie finalement tout le reste.

Jean-Louis et Nicole se sont revus très souvent. En
fait, depuis quelque temps, ils vivent ensemble. En
amour par-dessus la tête! Moins quelques pouces...
Quand elle a les pieds nus.

ENVIES

J'ai eu envie de
t'appeler
pour t'entendre,
t'écouter
rien que pour cela.

J'ai eu envie de
t'appeler
pour me faire dire
des mots doux
pour oublier,
un instant,
que la démesure
est
entre
nous.

POÈME D'AMOUR EN UN MOT:

Toujours!

FIN DE LA LEÇON D'HISTOIRE

Être ou ne pas être?

Voilà la question!

Naître ou n'être pas
Renaître et reconnaître
la multitude,
la différence,
l'audace!

Mais, ce pays,
en voie de naître
est mort-né.

Tous et toutes

LE BAISER

D'après un tableau de Gustav Klimt

Ils sont l'un contre l'autre...
Quel beau tableau!

Il la tient tout contre lui.
Je vois sa tête, penchée,
sur elle

Je ne vois pas son visage,
seulement ses cheveux noirs
et son cou massif.
Avec ses deux mains,
il prend sa tête

Elle a les yeux fermés
Ses mains, appuyées
contre sa poitrine
Elle est agenouillée

Il est debout
Pour l'embrasser...

Cela va de soi,
Elle est plus grande que lui.

FIGURE DE PROUE

Je me sens désemparée
et je ne saurais trop
en dire
le pourquoi
ni le comment

Pourtant,
je sais
et je sens
que l'heure
est venue
pour moi
choisir
de quel côté
je dois donner
mon prochain
coup de barre.

Virage à tribord!
Virage à babord?

Je ne sais trop
je suis prise au piège
comme ces navigateurs
face à Charybde et à Scylla...

Aucun phare à l'horizon.
C'est une nuit sans lune
et je m'enfonce dans les ténèbres.

Où donc est le port?

J'AI ENVIE DE

J'ai envie de
prendre un coup avec toi
Un bon coup!

Et, tout d'un coup,
mettre mes bras,
autour de ton cou,
pour t'embrasser très fort!

Es-tu dans le coup?

FAIM

J'ai
l'estomac
creux
J'ai
faim
J'ai
très
faim
de
toi...

ENNUI

Matin d'hiver
D'une journée sans soleil
Assise devant la fenêtre
Je fixe la neige,
les glaçons qui pendent,
les oiseaux qui marchent
prudemment
à la recherche
de quelques miettes

Et je rêve,
Doucement,
De cet été disparu
en songeant
à ce printemps,
encore bien loin...

La journée sera longue.

ASPHYXIE

Je me sens étouffée
par ce silence,
ce mur invisible
qu'il se complait à édifier,
à détruire et à refaire

Parfois une gentillesse,
une délicatesse,
parfois, rien du tout

Pourquoi ce mutisme...
J'étouffe...

TOUTES LES FOIS

Toutes les fois qu'il me quitte,
je retrouve cette étrange sensation
comme si je devenais, tout à coup,
privée de souffle,
privée de vie...

Toutes les fois qu'il me quitte,
je retrouve cette vague impression
qu'il ne reviendra pas
qu'un malheur va lui arriver...

Toutes les fois qu'il me quitte,
je retrouve cette solitude,
ce silence inquiétant
cette angoisse du coeur...

Toutes les fois qu'il me quitte,
je retrouve ce vide,
je retrouve tous ces autres départs,
tous ces autres retours
toutes les fois qu'il me quitte...

NOYADE

Me noyer...
me perdre dans l'eau toute bleue,
l'eau si douce,
fluide presque magique
Je flotterais,
le visage tourné vers le soleil
puis,
soudain,
une
vague puissante
m'emporterait,
vers le large,
vers l'infini

Je ne me débattrais pas
tout doucement,
je me laisserais
engloutir...
L'océan me prendrait
dans ses bras
et me garderait.
J'aurais la tête
appuyée sur son sein de corail
et je dormirais
sur un lit d'algues
en écoutant la musique
sortir de partout
et nulle part à la fois...

Je serais immobile,
souriante,
et sans vie...

RIEN

Rien
ne m'a été
donné
et
on m'a tout pris...

Rien
ne m'a été
donné
on m'a tout pris
tout ôté...

Je m'ouvre bien grand les yeux
pour ne rien oublier...

UNE MAIN FRÔLÉE

Une main frôlée
un geste inachevé
comme un baiser,
à moitié
donné
Juste toucher,
le toucher

Du bout des doigts,
le baiser
s'est échangé
Les yeux n'ont rien
oublié
et sans arrêt
L'image
revient...

Une main frôlée...

MOMENTS

Des moments donnés,
repris,
mais dans le fond
bien perdus,
insaisissables,
inoubliables
ou pénibles.

Des moments ôtés
disparus à jamais
doux souvenirs
chagrins amers
journées ensoleillées
ou pluvieuses
minutes précieuses
instants privilégiés
uniques.

Moments tannés,
polis,
usés
par le temps.

VENTS

Comme des grains de poussière
soulevés par le vent
La vie a tracé pour nous
des chemins que nous avons
suivis.

Mais, même après tout ce temps
ton souvenir
est toujours
bien vivant
dans ma mémoire...

NOSTALGIE

Au son de la musique
le passé remonte à la surface...

Et je revois son visage
et des images
de ce qui aurait pu être

Mon corps frissonne
sous ses mains invisibles
et je sens, sur mes lèvres,
des baisers que ma bouche
n'a jamais goûtés...

Des notes qui résonnent
au souvenir de ses paroles
et voilà que tout s'accorde
dans une harmonie
qui a pour nom nostalgie...

MES MAINS

Mes mains te veulent
mon corps aussi.
Mais,
nous
restons
là.

L'un devant l'autre,
sans bouger
et nous nous regardons
fixement
sans pouvoir nous rejoindre
dans l'espace.

Le temps fera-t-il mieux pour nous?

TOI

Toi
Tu t'obstines,
Tu t'entêtes,
Tu te mutines
Et tu m'embêtes!

Oui toi!

Tu souris
Puis, tu fais la fête
Tu t'enfuis
Tu m'envoies paître!
Oui toi!

Moi
J'attends
Je guette
Tu ne le sais pas
Mais... je suis prête
Pour tomber dans tes bras

Oui, à toi!

Mais
Tu fuis
Sans aucun répit
Avec dans les yeux
L'envie
D'être dans mon lit!

Oui, à moi!

INSOMNIE

J'ai peine à dormir.
C'est de ta faute,
je pense trop à toi!

J'ai peine à dormir
car depuis longtemps
je t'imagine,
te sens et te devine
tout chaud,
près de moi...

J'ai peine à dormir
car tu prends déjà
toute la place dans
mon lit.

J'ai peine à dormir
c'est de ta faute...

LENDEMAINS DE VEILLE

Lendemains de veille
à la bouche pâteuse,
l'oeil au ralenti
et la tête en désordre d'idée…

Lendemains de veille
où,
pourtant,
on a le coeur
content!

SALUT

Salut,
c'est moi,
entre autres choses,

et c'est toi,
entre autres choses,
qui n'es pas là.

SÈVE

J'ai encore de toi
en moi

Tu t'écoules
lentement
et
peu à peu
je sens le vide
reprendre sa place

J'ai encore de toi
en moi
mais
pour bien peu
de temps...

IL ÉTAIT UNE NUIT...

Une nuit,
nous serons
ensemble
et
nous
ne dormirons
pas...

JE TE RESPIRE

Je te respire
oui,
je sens
ta peau...
douce
Tu es beau

Voilà que je transpire,
tu me caresses
les seins
de tes mains
pleines de tendresse

Et je te respire
sans arrêt
car mon bien-aimé
est une drogue
que j'aspire
et respire
sans arrêt

JE SUIS DANS CETTE BELLE ET GRANDE CHAMBRE

Je
suis
dans
cette
belle
et
grande
chambre,
toute
seule...
et
je
voudrais
que
le
désordre
y
règne,
que le lit soit tout défait,
que les draps soient encore humides de nos ébats...
que
tu
sois
là
et
que
j'y
sois
aussi
dans
tes
bras.

94

JE PENSE À TOI

Je pense à toi
toutes les fois
que j'allume
une cigarette
et, tu sais,
je fume
sans arrêt!

Tu me regardes
Tu souris
Tes yeux brillent
et mine de rien
tu me donnes le goût
de toi.

MIROIR

Dans tes yeux
je vois
tout ton présent
je devine
un peu de ton passé
et appréhende
l'avenir.

J'ose
croire
pourtant
y voir
nos deux
visages
s'y
refléter

CHÉRIE

Chérie
je suis heureux
je vois tes yeux
et dans nos regards
je lis de l'espoir

TU ME REGARDES

Tu me regardes
Tu souris
Tes yeux brillent
et mine de rien
tu me donne le goût
de toi.

DANS TES MAINS

Tu m'as prise...
Tu me tiens
dans tes mains
Quoi que je fasse
ou dise
rien ne s'efface
Au contraire,
tout s'éclaire
d'une étrange lumière
Je te parle d'Elsa
et tu es Aragon
Oui, tu me tiens bien
les mains
et je ne fais rien
car je me sens bien
dans tes mains

TU ES BEAU

Tu es bien beau
J'aime ton corps d'homme
tes belles hanches
ton sexe

Tu es beau
Tu es doux
plus doux
que tout
et, par-dessus tout,
tu es tendresse
Et je t'aime beaucoup
tout doux...
tout doux...

CANCER

Je t'entends chanter

Ta voix
chaude et douce,
raconte notre histoire,
celle de nos soirs
et de nos nuits
d'amour

Je t'entends chanter
des mots
qui me rappellent
nos promenades,
nos folies
et nos caresses

Je t'entends chanter

Ta voix,
toujours obsédante,
m'enveloppe
le corps
et le coeur

Comme un cancer,
tu me ronges,
tu me dévores
et, plus que jamais,
tu es ma vie,
et ma mort.

ODE POUR UN HOMME

Je ne pourrais aimer
qu'un homme qui aime le Nord.
Un homme primitif,
un homme bon,
un homme qui aurait connu,
et vécu,
la souffrance
des jours malheureux.
Je ne pourrais aimer
qu'un homme qui aime le Nord.

Là, le ciel s'étend,
indécent,
à perte de vue
au-dessus
de nos têtes
et la plaine
est recouverte
d'épinettes...
Les orages y sont
violents
et dramatiques
L'air et l'espace.
Et le soleil, le soleil!
Ce soleil qui est là!
Et toi et moi,
assis,
ensemble,
à le regarder...

Je ne pourrais aimer
qu'un homme qui aime le Nord.
Un homme primitif
Un homme naïf
Un homme bon,
en voie de sagesse.

Parlez-moi d'amour...

Oui, parlez-moi!
Parlez m'en donc!

Sincèrement
Honnêtement
Délicatement
Tendrement
Doucement

Parlez-moi d'amour,
je ne demande que cela...

GYMNASTIQUE

Quelques pages
qu'on éclabousse
de mots, de phrases,
et voilà le texte!

Des mots, des phrases,
des paragraphes de sentiments,
et voilà le contexte!

Des mots, des phrases,
de la redondance,
des allitérations,
des interjections,
des exclamations,
et voilà le prétexte
pour écrire un texte
bien dans son contexte!

Je le dis textuellement
sans chercher de faux prétextes.
Quelle illusion...

PALABRES*

On jette des idées
On commence tranquillement,
un peu au hasard
des adverbes
et des conjonctions.

Puis,
il vient un moment,
où l'on croit avoir trouvé
le
fil
où l'on se dit,
ça y est!
C'est la bonne direction
c'est le mot juste,
la virgule est au bon endroit,
les points de suspension
sont bien suspendus...

Et c'est ainsi
qu'on transmet
qui l'amour de la vie,
qui le goût de la forêt
qui l'envie de faire des folies...

Tout
ça
sur
un
bout
de
papier
bien
ordinaire.

*de l'espagnol: *phrases...*

NATURE MORTE

Régime de bananes
Plante desséchée
Cendrier qui fume
une cigarette
Tasse de thé
à moitié pleine
Volumes étranges
Feuilles de papier
barbouillées
Ensemble d'objets
disparates
éparpillés
sur la
Table de cuisine
où je dépose
ma plume...

DÉJA MINUIT

Déjà minuit.
Comme le temps fuit
quand on écrit
des choses,
assis
dans son lit.

Déjà minuit,
comme le temps fuit...

Et l'on remonte
patiemment
le cadran,
machine infernale
du temps,
qui sépare le jour
de la nuit.

URGENCE

Urgence d'écrire
et de dire
pour éviter
que fuir
ne devienne
le verbe
enfuir.

TRANSCRIPTION

J'aimerais qu'un procédé
magique
abolisse l'intermédiaire
et,
qu'un jour,
la plume,
la mienne,
outil de l'écriture,
se retrouve au Musée.

J'aimerais que de mon cerveau
les mots
s'impriment,
directement,
sur le papier
Oui,
pour aller plus vite,
pour filtrer toute déformation,
j'abolirais cet intermédiaire

Mieux encore,
j'inventerais
cette autre écriture,
celle qui me ferait sauter
toutes les barrières,
qui me permettrait
d'entrer,
de pénétrer
dans toutes ces autres planètes-cerveaux
qui ont pour orbite
plus de 3 milliards d'individus.

NAHÉ ET MAKI

Dans le grand silence de la forêt, ils étaient là, tous les trois. Heureux. Nahé et Maki étaient ensemble depuis plusieurs lunes. Ils ne s'étaient plus quittés et, au temps des amours, Nahé avait fait valoir ses droits sur Maki. Maki s'était laissée prendre. Elle avait porté le petit de Nahé et maintenant, il devenait fort et vigoureux. Le petit marchait avec eux et c'est sûr, un jour il ne pourrait plus les suivre. A son tour il s'en irait avec une compagne.

La forêt n'avait jamais été plus belle. Le feuillage d'or des bouleaux, les vermeils d'érables, chatoyaient dans le soleil du matin. Il avait fait plus frais que d'habitude. Il y avait une petite gelée au sol. Encore quelques lunes et l'hiver serait là de nouveau.

Nahé, Maki et le petit, avançaient doucement parmi les arbres. Nahé respirait profondément et contemplait d'un air protecteur sa belle Maki et le petit. Il était heureux. Bien.

Puis, un claquement sourd brisa soudain le silence paisible de la forêt. Dans les yeux de Nahé, un voile rouge s'abattit et il eut à peine le temps de voir, l'espace de quelques secondes, Maki et le petit prendre la fuite en courant...

Nahé, le grand orignal, s'écroula.

Achevé d'imprimer
en septembre 1986 sur les presses
des Ateliers Graphiques Marc Veilleux Inc.
Cap-Saint-Ignace, Qué.